LE BONHOMME DE NEIGE

Texte et illustrations de John Patience

C’est la veille de Noël, monsieur Baba a beaucoup de choses à faire ; il doit s’attarder aux derniers préparatifs et acheter un sapin de Noël. Pauvre monsieur Baba ! Il passe Noël tout seul, mais il veut quand même fêter. Il enfile donc des vêtements chauds et sort pour faire démarrer sa voiture. C’est une très vieille auto, mais il l’aime bien et lui a même donné un nom : Titou. Mais Titou n’aime pas le froid, et c’est difficile de la faire démarrer. Monsieur Baba fait tourner la manivelle plusieurs fois et réussit enfin.

TOOTS

Monsieur Baba conduit lentement, car la route est enneigée. À mi-chemin, il aperçoit des enfants qui font un bonhomme de neige. Ils ont façonné une grosse boule pour le corps et une plus petite pour la tête.

Ils veulent poser la tête sur le corps, mais la boule est trop lourde.
Monsieur Baba s'arrête pour l aider.
— Attends-moi ici, Titou, dit- à son auto. Je vais donner un coup de main aux enfants.

TOOTS

Monsieur Baba et les enfants travaillent fort. Ils soulèvent la boule pour la tête et la mettent en place. Ils façonnent aussi des bras et des jambes.
Ils ajoutent une carotte pour le nez et des petits cailloux noirs pour les yeux. Monsieur Baba ne s'est pas amusé autant depuis longtemps.
— Il ne lui manque qu'un chapeau, dit monsieur Baba. Je lui donne le mien.
Monsieur Baba enlève son chapeau et le met sur la tête du bonhomme de neige.
— Voilà ! ajoute-t-il. Il est beau, n'est-ce pas ?

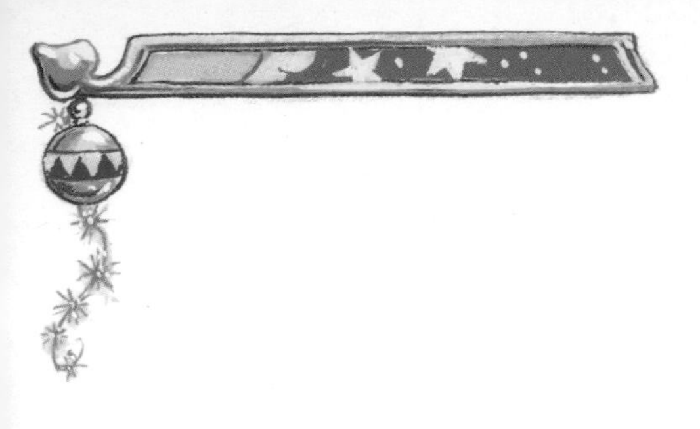

Monsieur Baba doit maintenant partir. Il dit au revoir aux enfants et, avec un peu de difficulté, il fait redémarrer Titou.

Dans la ville, beaucoup de gens s'affairent aux préparatifs de Noël.

Monsieur Baba, qui commence à avoir l'esprit des fêtes, achète un sapin (le dernier qui restait) et de quoi préparer un délicieux festin. Il achète même une boîte de pétards.

— Je ne sais pas avec qui je pourrais les faire éclater, dit-il à Titou, mais je n'ai pu m'empêcher de les acheter !

TOOT5

Monsieur Baba rentre chez lui en rêvant d'une tasse de thé bien chaud. La neige tombe de plus belle, la chaussée est glissante, et il fait très froid. Soudain, Monsieur Baba aperçoit un personnage familier qui marche au beau milieu de la route.

— Mais c'est le bonhomme de neige ! s'écrie monsieur Baba. Il klaxonne – BIP ! BIP ! – et essaie d'éviter le bonhomme de neige. CRAC ! L'auto passe à travers la clôture qui borde le chemin et tombe dans le fossé.

Heureusement, Titou n'a pas subi de dégâts, mais il sera difficile de la sortir de là. Monsieur Baba prend une pelle dans le coffre arrière et commence à creuser.

— Ce n'est pas nécessaire, dit le bonhomme de neige. Remontez dans votre voiture et je vais pousser.

Monsieur Baba monte à bord et le bonhomme de neige pousse, pousse de toutes ses forces. En quelques instants, Titou se retrouve sur la route.

— Au revoir, et soyez prudent, lance le bonhomme de neige. Je retourne dans mon champ. Les bonshommes de neige ne devraient pas partir en promenade !

— Mais voyons, dit monsieur Baba, tu ne peux pas passer

Noël tout seul. Viens chez moi.
– C'est très gentil, répond le bonhomme de neige. Je viens avec vous.
Le bonhomme de neige monte dans la voiture à côté de monsieur Baba.

Les enfants qui ont fait le bonhomme de neige descendent la colline en traîneau. Ils sont tout étonnés de voir leur bonhomme de neige bien vivant et lui envoient la main au passage.

Le bonhomme de neige passe la nuit de Noël dans le congélateur de monsieur Baba.

— C'est une chambre bien confortable ! se plaît-il à dire.

La journée du lendemain est très agréable. C'est le plus beau Noël que monsieur Baba a jamais passé. Il fait jouer ses vieux disques, et le bonhomme de neige chante et danse.

Comme il fait chaud dans la maison, le bonhomme de neige mange des tonnes de crème glacée pour ne pas fondre.

Après le repas, monsieur Baba et le bonhomme de neige font éclater les pétards.

— J'ai bien fait d'acheter des pétards ! dit monsieur Baba en riant. Joyeux Noël, gentil bonhomme de neige !

66225